DESDE QUE ERA PEQUEÑA, ME PASABA EL DÍA SENTADA ANTE LA TELE.

...Y CONVERTIRME EN IDOL.*

Y UN DÍA PENSÉ QUE ME GUSTARÍA CRUZAR AL OTRO LADO DE LA PAN-TALLA...

*N. DE LA T.: JOVEN ESTRELLA DEL ESPECTÁCULO QUE CANTA, BAILA, ACTÚA, POSA COMO MODELO Y PARTICIPA EN TODO TIPO DE PROGRAMAS.

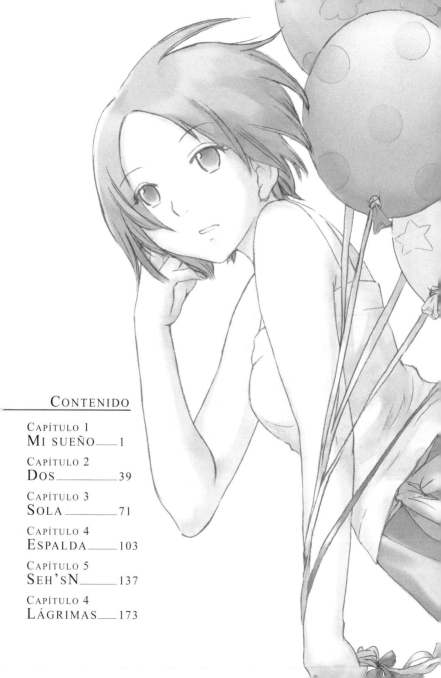

Contenido

SERÁN
480 YENES.

*DEBUT MAGAZINE:
GUÍA COMPLETA PARA TU PRIMERA AUDICIÓN.

FUI A HURTADILLAS
HASTA EL PUEBLO DE
AL LADO PARA COMPRAR
UNA REVISTA SOBRE
AUDICIONES.

AQUÍ
TIENE EL
CAMBIO...

CAPÍTULO 1: MI SUEÑO

SI SALIERA EN EL PROGRAMA DE MUSIC STATION, ¡SEGURO QUE TODOS SE QUEDARÍAN CON LA BOCA ABIERTA!

...LO CONSEGUÍ.

Y ENTONCES...

PERDÓN.

EXIDOL.

YUKINO
MIYASHITA,
18 AÑOS
Y MEDIO
MES.

PERO,
AUNQUE ME
AVERGÜENZA
DECIRLO, NO
TUVIMOS
ÉXITO.

DEBUTÉ
A LOS 15
AÑOS.

OCURRIERON VARIAS COSAS, Y TERMINÉ DEJANDO EL INSTITUTO CUANDO NO HABÍA PASADO NI UN AÑO.

EL GRUPO SE DISOLVIÓ Y YO REGRESÉ A MI PUEBLO NATAL.

She's N Metronome Love

QUÉ VA, YO YA NO...

CON LO BIEN QUE TE IRÍA SI VOLVIERAS A INTENTARLO...

ENTONCES, ¿AHORA ERES ASISTENTE EN LA AGENCIA?

ME DABA IGUAL HACER DE CHICA DE LOS RECADOS, DE LO QUE FUERA.

LE ROGUÉ DESESPERADAMENTE A MI ANTIGUO AGENTE QUE ME DIERA TRABAJO.

AH,
¡MIRA,
MIRA!

¡UGH!

...

VAYA...

ES EL
RESTAURANTE
DE ESE EDI-
FICIO...

¡MIRA,
MIRA!

¿CÓMO
ES EL
MUNDO
DEL ES-
PECTÁ-
CULO?

OYE,
MIYASHITA...

SU ADMIRACIÓN
APENAS DURÓ
UNOS INSTANTES.

¡BIEN!
¡VAMOS A
DARLO TODO
EN LA SIGUIEN-
TE CANCIÓN
TAMBIÉN!

CLIC

METRO-
NOME
LOVE!!

¡YA VES! NO SÉ CÓMO PODÍAN...

Idol Planet vol.35

EL VÍDEO QUE DECÍAS ES HORRENDO, TÍO...

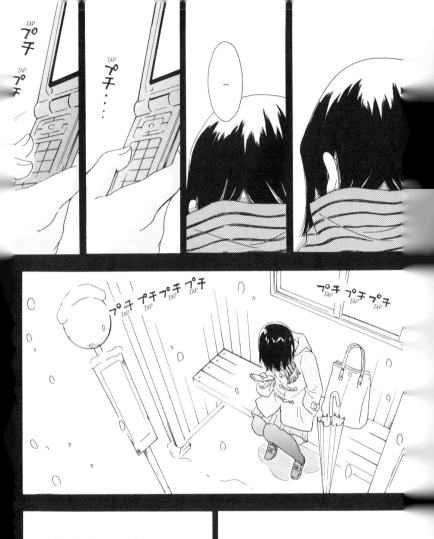

¿Novio? (•w•;)
¡Estoy tan liada
con mis amigas que no
tengo tiempo para
pescar ninguno! (+_+)
(es broma, jaja)

¡Yeeey! ¡Cuánto
tiempo, Mika!
o(^-^o)(o^-^)o
¡Yo también estoy
genial!♪

AH.

NO TENGO DINERO PARA GASTARLO EN JUERGAS.

NO TE PREOCUPES, MAMÁ.

...

...ALLÍ TODAVÍA HACE UN POQUITO DE FRÍO.

PROBABLE-MENTE...

UN MENSAJE DE MAMÁ.

Ten cuidado y no te metas en lugares raros de esos, ¿de acuerdo? ¡¡Ándate con mil ojos!! Seguro que en Tokio hay muchos locales que abren hasta la

¡SI NI SIQUIERA TENGO PARA COMPRARME UN PINTALA-BIOS!

¿SERÁ POSI-BLE...!

DE VERDAD...

ME ENCANTARÍA ECHARME UN NOVIO GUAPO QUE ESTÉ FORRADO...

EN TERCERO VOY A TENER QUE DEJARLO, ME GUSTE O NO.

ASÍ QUE VOY A DEJARME LA PIEL EN EL TORNEO DE VERANO, TE LO JURO.

¿"AHO-RA"?

...SOY UN MONSTRUO DEL BÁDMINTON, ¡UN MONS-TRUO!

AHORA MISMO...

KAMOTA, A QUIEN LLAMO "KAMO", IBA A LA CLASE DE AL LADO.

¿AH, SÍ?

PUES AHORA LO SOY EL DOBLE.

TÚ SIEMPRE HAS SIDO UNA FANÁTICA DEL BÁDMINTON, KAMO.

...ME PREOCUPA UN POCO PENSAR EN CUANDO TERMINE EL TORNEO.

PUES SI ES ASÍ...

FUE LA ÚNICA QUE ME TRATÓ CON NORMALIDAD, Y SE HA CONVERTIDO EN UNA AMIGA MUY IMPORTANTE PARA MÍ.

A ESTE PASO, PARA ENTONCES TE HABRÁS CONSUMIDO TÚ TAMBIÉN.

¿TAMBIÉN?

NO, NO QUERÍA DECIR...

¿EH?

¿POR ESO DEJASTE EL INSTI?

PERO EN REALIDAD NO TE CONSUMISTE, ¿VERDAD, MIYA?

LO QUE OCURRIÓ AQUEL DÍA FUE QUE TU FUEGO RENACIÓ Y TERMINASTE ECHANDO CHISPAS, ¿NO?

ESE ES UN TEMA QUE YA NO...

¿AQUEL DÍA?

HASTA ENTONCES LO HABÍAS AGUANTADO TODO SIN DECIR NI MU...

¡¡KAMO!!

...PERO VAS Y EXPLOTAS AL FINAL DE TODO.

MUJER, AQUEL DÍA DE FINALES DE SEGUNDO.

24

IGUAL LO
SERÍA MIL
VECES
MÁS...

¿...SERÍA
AGRADABLE?

¿SI
ALGUIEN
ME TO-
CARA...?

...QUE
HACIÉNDOLO
YO SOLA.

NO QUIERO
ACORDARME...

...

¿QUIÉN
ERA ESA
ACTRIZ QUE
HA DICHO?

NO,
ESPERA...

¡FUE
SUPER-
GUAY!

...YA ME HE
PAJEADO COMO
MÍNIMO CINCUENTA
VECES, MACHO.

SOLO DE
VER CÓMO SE
LE MARCA TODO
CON ESE BA-
ÑADOR...

¡POR MÍ PUEDES PAJEARTE HASTA QUE SE TE CAIGA A CACHOS!

NO LE
IMPORTO
A NADIE...

AQUÍ
NADIE ME
CONOCE.

¿QUÉ ES
LO QUE HA
DICHO...?

UN MOMENTO...

¿EH?

¿SEÑORITA?

...PERO EN REALIDAD PARECES UN SALIDO.

SIEMPRE CON LAS MISMAS. A TI TE PARECERÁ HALAGADOR DECIRLES ESO A LAS CLIENTAS...

PLAF

¿ACASO NO LLEVAS ESTE NEGOCIO?

PIÉNSALO POR TI MISMO.

¿Y ESO POR QUÉ?

SIN MOSCARDONES MOLESTOS REVOLOTEANDO A SU ALREDEDOR.

PARA QUE LO SEPAS, LAS MUJERES QUIEREN HACER LA COLADA TRANQUILAS.

PLAF

HACÍA
MUCHO QUE
NADIE ME
TOCABA.

SUAVE Y
CÁLIDO...
AAAH...

SEGURO
QUE TIENE
NOVIO.

SETSUKO
IWAI... ES MUY
GUAPA.

...IGUAL LA LLEGADA
DE LA MAÑANA, CON
EL DESAYUNO Y ESAS
PEQUEÑAS COSAS,
ME HARÍA MÁS
ILUSIÓN.

SI DURMIERA
CON ALGUIEN
A MI LADO...

Capítulo 1 / Fin

CAPÍTULO 2: DOS

ANTES.

BUENO...

¡ES GUAPÍSIMA!

TIENE 22 AÑOS, ¿Y SABES QUÉ?

ES UNA CHICA QUE SE LLAMA SETSUKO IWAI.

¿FENNEL?

ESO MISMO, FENNEL.

ASÍ SE LLAMABA SU GRUPO.

fennel
suitable day

fennel
suitable day

CUANDO LO HE BUSCADO EN INTERNET ME HA SALIDO UN MONTÓN DE INFORMACIÓN, ¡NO ME LO ESPERABA!

AL PARECER, IWAI SE ENCARGABA DE COMPONER LOS TEMAS.

EN LAS CRÍTICAS DICEN QUE TENÍAN TALENTO DEL BUENO.

42

¡...ES COSA DEL DESTINO! ¡EL DESTINO!

QUE DOS PERSONAS CON EXPERIENCIAS TAN SIMILARES SE ENCUENTREN EN UNA MEGALÓPOLIS COMO TOKIO...

¡PIÉNSALO, MUJER!

...

KAMO SE EMBALA QUE DA MIEDO...

PERO...

CREO QUE IWAI...

44

SÍ, YUKINO, LA CANTANTE.

¿CÓMO ERA...?

¡UY! SI ES LA CHICA DEL OTRO DÍA...

...QUIZÁS ME ENTEN-DERÍA.

*LAVANDERÍA DE AUTOSERVICIO IWAI.

¡BIEN! ¡ES HORA DE LA RONDA DE CON-TROL!

AHORA SOY ASISTENTE EN UNA AGENCIA...

...

EN CIERTA MANERA, ES COMO UN CENTRO DE PODER.

¿PER-DÓN...?

Y LA LAVANDERÍA ES EL LUGAR DONDE SE VIENEN A PURIFICAR ESTAS AL-HAJAS.

...

ES BASTANTE RARO...

BUENO, COMO PROPIETARIOS, EN EL FONDO ESTÁ EN NUES-TRAS MANOS QUE LO SEA O NO...

AUNQUE ME HAYA SOLTADO ESO, CON LAS PIN-TAS QUE LLEVABA NO HA SIDO MUY CONVINCENTE QUE DIGAMOS.

*AMI OKURA: NUEVO DVD TOMORROW! LANZAMIENTO AL MERCADO.

¡YUKINO! ¡MIRA, MIRA!

¡AH!

¿A QUE ES MONO ESTE VESTIDO?

ES EL PRIMERO QUE LLEVARÉ EN LA SESIÓN DE FOTOS DE ESTA TARDE.

¿Y ESE MOMENTO DE DUDA?

TE QUEDA MUY BIEN, ESTÁS ADORABLE...

¡SÍ QUE LO ES!

A VER SI SERÁ VERDAD QUE HE ENGOR-DADO DE PIERNAS...

UY.

CUANDO TE ESTABAS ENJABONANDO EL PELO, ESTABAS PRECIOSA VISTA DESDE DETRÁS.

ANTES...

¿SE TE HA ESTROPEADO LA CALDERA O ALGO?

NO HE PODIDO EVITARLO.

TE REFLEJABAS EN MI ESPEJO Y ME HE QUEDADO EMBOBADA.

NO ME HE DADO CUENTA, LA VERDAD...

VAYA...

YA...

NO SE ME HA ESTROPEADO LA CALDERA.

¿EH?

UHM...

¿YO?

FRUC
ばぅ

FRUC
ばぅ

TAP
ばた

TAP
ばた

¿QUÉ? ᵘ

QUE SI TE GUSTA EL MAPO TOFU.

¿TE GUSTA EL MAPO TOFU*?

¿CÓMO?

RESPONDO A TU PREGUNTA DE ANTES.

AAAH...

*N. DE LA T.: PLATO PICANTE ORIGINARIO DE LA PROVINCIA CHINA DE SICHUAN.

...MIYASHITA SE CONVIRTIÓ EN IDOL.

¿SABÉIS? ME PREGUNTO POR QUÉ...

PUES NI IDEA.

SEGURO QUE QUERÍA LIGAR.

YA LO HICE, PERO... SOMOS MUCHOS EN CASA.

TÚ TAMBIÉN TENDRÍAS QUE INSISTIRLES A TUS PADRES.

SIEMPRE LLEVAS LA MISMA ROPA, ¿NO?

¿TE HAN COMPRADO UNA FALDA NUEVA, REIKA?

YA ESTOY MÁS QUE ACOSTUMBRADA A NO TENER DEMASIADA ROPA.

ESO NO ES NADA EN COMPARA- CIÓN...

NO HAY NADA QUE HACER.

O QUE TE ESPEREN MACARRAS EN LA PUERTA DEL INSTITUTO.

...CON QUE TE SEÑALEN POR LA CALLE Y SE RÍAN DE TI.

PREFIERO MIL VECES MI VIDA ACTUAL, DONDE YA NO TENGO QUE AGUANTAR TODO ESO.

PERDO-
NA...

NO HE
HECHO MÁS
QUE HABLAR
DE MÍ...

GRACIAS...

AH...

¿NO
QUIERES
MÁS?

QUEDA
TOFU.

GLOC
GLOC
GLOC

LA DE TU
PUEBLO.

LA QUE
CORRÍA A EN-
SEÑARTE SU
ROPA PARA
PRESUMIR.

¿EH?

OH,
PUES SÍ.

¡ESTÁ PARA
CHUPARSE
LOS DEDOS!

...CÓMO
TE PONÍAS
VERDE DE
ENVIDIA, MI-
YASHITA.

ESTOY
SEGURA DE
QUE SE MORÍA
POR VER...

¿DICES
QUE ESA NIÑA
SE LLAMABA
REIKA?

*LAVANDERÍA DE AUTOSERVICIO IWAI

PERO...

¡JA, JA!

NO ERA PARA TANTO...

...NO NEGARÉ QUE LA EN-VIDIABA.

ERA ROPA DE PRINCESITA.

SIEMPRE LE COMPRABAN COSAS CON VOLANTES Y PUNTILLAS...

¿A QUE ES MONO ESTE VESTIDO?

...PARA ENSEÑARME CÓMO VOLABA LA FALDA.

SE PONÍA A DAR VUELTAS Y VUELTAS...

...CON TODO AQUELLO QUE NO PODÍA TENER.

SUPONGO QUE TENÍA ESPECIAL FIJACIÓN...

CADA VEZ QUE LO HACÍA, YO...

¡YUKINO! ¡MIRA, MIRA!

"A MÍ ME QUEDARÍA MIL VECES MEJOR"...

¿A QUE SÍ?

ERA LO QUE PENSABAS.

ELLOS
SOLO...

EHM...

...PIENSAN
EN EL
SEXO.

SABE A
TOFU...

AH...

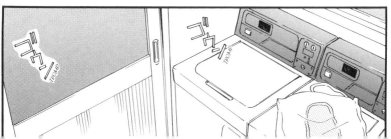

AH...

ゴゥッ! TROMP

ゴゥッ! TROMP

ゴゥッ! TROMP

¿HMM?

CREO QUE...

YO...

SI TE PREOCUPA MARI, TRAN-QUILA.

ESTARÁ TRABAJANDO HASTA MAÑANA POR LA MA-ÑANA.

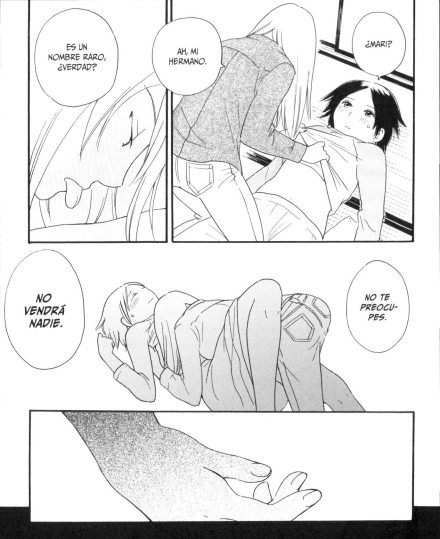

ES UN NOMBRE RARO, ¿VERDAD?

AH, MI HERMANO.

¿MARI?

NO VENDRÁ NADIE.

NO TE PREOCUPES.

...RELÁJATE, ¿VALE?

ASÍ QUE...

CAPÍTULO 2 / FIN

CAPÍTULO 3: SOLA

...CONSIGUEN LOS PROYECTOS VENDIENDO SU CUERPO.

FIJO QUE LAS IDOLS...

NO TIENE MADERA DE IDOL, ¿A QUE NO?

NO SÉ, TIENE TAN POCA PRE-SENCIA...

LLEVAMOS MESES SIN COMERNOS UN ROSCO.

NO SABE CUÁL ES SU LUGAR.

DÉJANOS DESFOGARNOS, ANDA.

¿MI LUGAR?

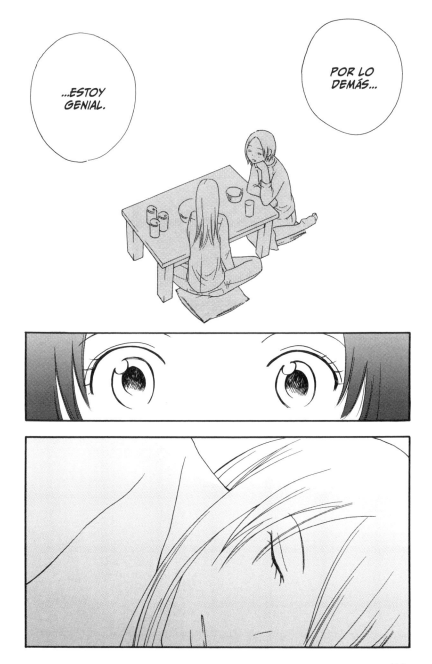

74

¿...YO AQUÍ...?

¿QUÉ...?

¿...HORA ES?

...

¿EH?

¿QU...? ¿QUÉ HAGO...?

MAÑANA...

...EMPIEZO TEMPRANO, ASÍ QUE...

ESTO ES UN AVISO QUE TE DOY COMO ANTIGUO AGENTE TUYO...

TE VEO MUCHO MÁS DESPISTADA AHORA...

...QUE CUANDO TRABAJABAS CONMIGO CO-MO IDOL.

*CLÍNICA DENTAL YAMAMOTO.

HAZ EL FAVOR DE CENTRARTE, TE LO PIDO POR FAVOR.

¿A QUIÉN SE LE OCURRE PEGAR TODAS LAS ETIQUETAS DEL REVÉS?

ME
ENCANTABA
TOCARLA
Y QUE ME
TOCASE.

MIKA ERA TAN
BLANDITA...

...YUKINO
MIYASHITA.

ENCANTADA DE
CONOCERTE...

LA PIEL
DE IWAI...

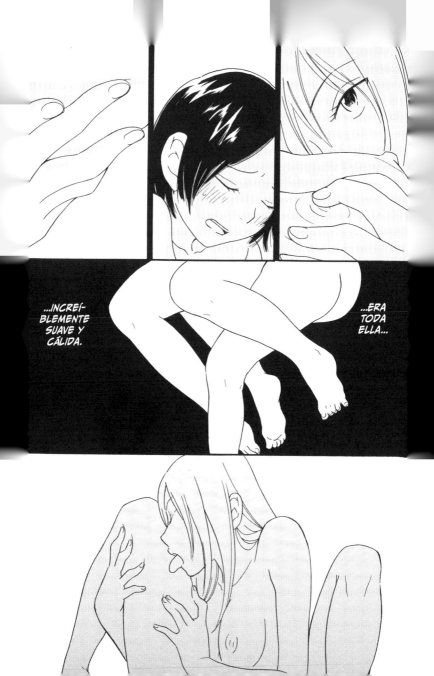

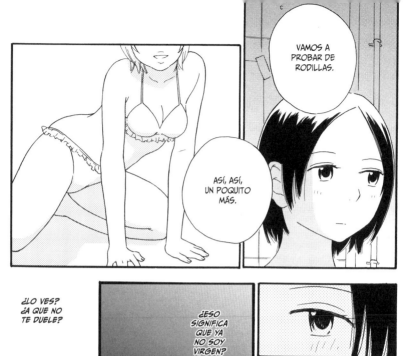

VAMOS A
PROBAR DE
RODILLAS.

ASÍ, ASÍ,
UN POQUITO
MÁS.

¿LO VES?
¿A QUE NO
TE DUELE?

¿ESO
SIGNIFICA
QUE YA
NO SOY
VIRGEN?

ESO
FUE SEXO,
¿NO?

NO TE
MUEVAS.

¿QUÉ ES LO QUE NOTAS?

DIME...

RARA...

PENSARÁN QUE SOY RARA...

MIERDA... ESTOY HACIENDO GESTOS SOSPECHOSOS..!!

...QUE HAGAMOS COMO SI NO HUBIERA PASADO NADA.

TENGO QUE PEDIRLE...

AAAH...

NO HAY DUDA DE QUE NO ESTABA EN MIS CABALES.

AHORA
QUE HE VENIDO
EXPRESAMENTE
HASTA TOKIO...

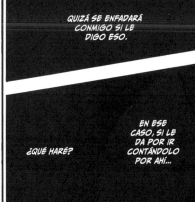

QUIZÁ SE ENFADARÁ
CONMIGO SI LE
DIGO ESO.

EN ESE
CASO, SI LE
DA POR IR
CONTÁNDOLO
POR AHÍ...

¿QUÉ HARÉ?

¿QUÉ
PUEDO
HACER?

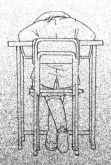

AHORA...

...ESTOY COMPLETAMENTE SOLA.

...YO...

¿EN SERIO NO LO SABÍAS?

CHICA...

...ES LA NUEVA GRAN ESTRE-
LLA EN LA QUE
TREASURE PRO
TIENE DEPOSI-
TADAS TODAS
SUS ESPE-
RANZAS.

CHISATO
KURUSU...

¿A QUIÉN
LE IMPORTA SU
PASADO COMO
IDOL DE SE-
GUNDA?

PUES
CLARO
QUE NO VA
A ESCRIBIR
ALGO ASÍ.

NACIDA EN 1990.
ORIGINARIA DE
LA PREFECTURA
DE KANAGAWA.
GRUPO
SANGUÍNEO: O

¿QUÉ?
¿QUE NO
CONSTA EN
SU PERFIL?

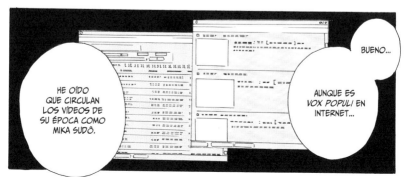

HE OÍDO
QUE CIRCULAN
LOS VÍDEOS DE
SU ÉPOCA COMO
MIKA SUDÔ.

BUENO...

AUNQUE ES
VOX POPULI EN
INTERNET...

¿QUE NO TE GUSTA
SALIR TAMBIÉN EN
ESOS VÍDEOS?
¿QUE NO QUIERES
QUE SE SEPA?

¿QUÉ PASA?
¿POR QUÉ
PONES ESA
CARA?

A QUIEN
QUIERE VER
TODO EL MUNDO
ES A CHISATO
KURUSU.

NO SEAS
TONTA.

...NO LE
IMPORTAS
A NADIE.

PERO TÚ...

ÚLTIMAMENTE NO HE TENIDO TIEMPO PARA VER LA TELE...

¿POR QUÉ NO ME HABÍA ENTERADO HASTA AHORA?

TAMPOCO VOY A LAS TIENDAS DE CD, PORQUE IGUALMENTE NO PUEDO COMPRARLOS...

Chisato Kurusu

2° single Jealous

Y MIKA NO ME HA DICHO NI UNA PALABRA.

Y PENSAR QUE ANTES ERAIS UÑA Y CARNE...

A LA HORA DE LA VERDAD, A ESO SE REDUCE LA AMISTAD ENTRE CHICAS...

¿DUDAS, DICE?

¡POR SUPUESTO! A MENUDO DUDO MUCHÍSIMO CON LAS LETRAS Y LA MELODÍA.

PERO AL FINAL TODO ES CUESTIÓN DE LUCHAR CON LO QUE UNO TIENE, TAL CUAL SALE.

...ERAS ESBELTA Y ATRACTIVA, LLEVABA UN MAQUILLAJE Y UN ESTILISMO PERFECTO E IRRADIABA SEGURIDAD.

LA MIKA QUE VEO POR PRIMERA VEZ EN LA TELE...

...NO LE
IMPORTAS
UN BLEDO
A NADIE.

PERO TÚ...

...QUÉ PENSAR.

YA NO SÉ...

CAPÍTULO 3 / FIN

ASÍ QUE NO
ME QUEDA OTRA
QUE VENIR A ESTA.

LA LAVANDERÍA
DE MINAMIGUCHI
SIEMPRE ESTÁ
A REVENTAR...

ES
POSIBLE
QUE ESTÉ
ARRIBA...

...PERO
YA ME DA
IGUAL.

TIEMPO RESTANTE

MINUTOS

¿OTRA VEZ?

SÍ, OTRA VEZ.

¿HA ESTADO TODO EL RATO CON ESE TÍO EN EL PISO DE ARRIBA?

...

¿QUÉ SIGNIFICA ESTO?

MIENTRAS YO LAVABA LA ROPA, ESTABAN LOS DOS ALLÍ ARRIBA...

¿TE GUSTA EL MAPO TOFU?

ERA ALGO QUE NO SUPE HASTA QUE LLEGUÉ A TOKIO.

SÍ...

ASÍ QUE REGRESARÁS A TU PUEBLO...

YA VEO...

PERO SOLO UNOS POCOS ELEGIDOS LOGRAN BRILLAR EN LA PANTALLA DE LA TELEVISIÓN.

HAY TANTOS ARTISTAS DEL ESPECTÁCULO COMO ESTRELLAS EN EL CIELO.

...QUIERO QUE SEAMOS AMIGAS PARA SIEMPRE.

AUNQUE NOS SEPAREMOS...

¡¡TE CONVERTIRÁS EN UNA ARTISTA MARAVILLOSA!!

SEGURO QUE TÚ LO CONSEGUIRÁS, MIKA.

MENTIROSA.

¡SÍ!

AUNQUE YO TAMBIÉN LO ERA.

...DE QUE HABÍAMOS SIDO EXPULSADAS DE ESE MUNDO QUE PERTENECÍA SOLO A LOS ELEGIDOS.

EN EL FONDO ESTABA CONVENCIDA...

TENGO LA SENSACIÓN DE QUE ESTOY SOÑANDO.

¿SOBRE EL PRIMER PUESTO EN EL RANKING ORICON*?

TODAVÍA NO ME LO CREO.

*N. DE LA T.: EMPRESA QUE ELABORA ESTADÍSTICAS SOBRE LAS VENTAS MUSICALES EN JAPÓN.

ME PREGUNTO... CUÁNTO LE PAGARÍAN A MIKA POR POSAR DESNUDA.

¡CUÁNTO TIEMPO!

¡BUENOS DÍAS!

*LAVANDERÍA DE AUTOSERVICIO IWAI.

...

¿Y ESTO?

¿SORPRENDIDA?

*PRODUCTO FRESCO DE PROXIMIDAD.

MI OBJETIVO ES PROPORCIONAR LA MÁXIMA SATISFACCIÓN AL CLIENTE.

PERO NUNCA LO CONSEGUIRÉ SI NO ME ATREVO A INNOVAR.

¡ES MI SEGUNDO INTENTO DE COLABORACIÓN CON EMPRESAS DE OTROS SECTORES!

PLOF

¿QUÉ PASA?

?

NO SÉ, A MÍ ME PARECE...

...QUE NUESTROS CLIENTES NO COMEN SUFICIENTE VERDURA.

*LAVANDERÍA DE AUTOSERVICIO IWAI.

ESE DÍA...
FUE MUY
AMABLE
CONMIGO.

Y AUN ASÍ...

...ES QUERIDA
POR GENTE DE
TODO JAPÓN.

MIKA...

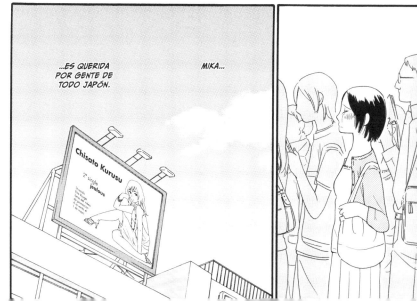

Chisato Kurusu

2ª single
jealous

EN CAMBIO,
A MÍ NO ME
NECESITA
NADIE.

MIYASHITA...

¿ESTÁS
BIEN?

123

TODAVÍA
NO LO SÉ...

PUES...

¿Y QUÉ
ES LO QUE
QUERRÍAS
HACER?

TENGO
QUE ENCON-
TRARLO...

...

¿POR QUÉ
TE ACOSTASTE
CONMIGO?

PERO
ESO NO ES
PROBLEMA
TUYO.

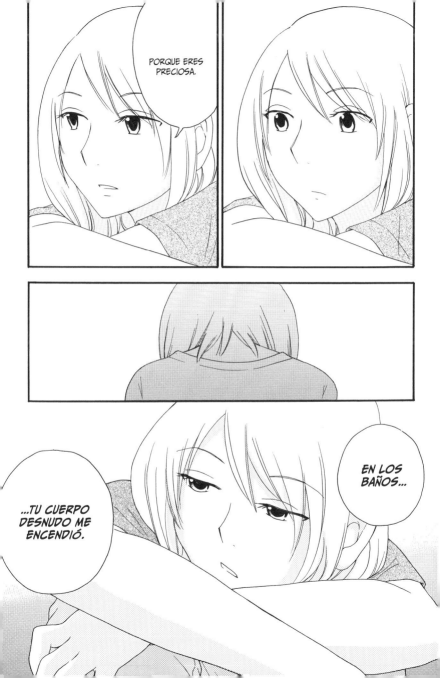

*LAVANDERÍA DE AUTOSERVICIO IWAI.

IGUAL
QUE CUANDO
ME ILUMINARON
LOS POTENTES
FOCOS POR
PRIMERA VEZ.

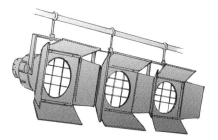

...MI VISIÓN
SE FUNDIÓ
A BLANCO.

ME
GUSTAS...

TÚ
TAMBIÉN
ME GUSTAS,
IWAI...

ME
GUSTAS...

...SALTARAN
LOS PLOMOS.

ERA COMO
SI EN LO MÁS
PROFUNDO DE
MI MENTE...

CAPÍTULO 4 / FIN

TÚ TAMBIÉN ME GUSTAS, IWAI...

ME GUSTAS...

CLARO, TE ESPERO.

¿NO TE IRÍA MEJOR DE UNA EN UNA?

¡QUÉ VA! ¡VOY BIEN!

¡YA LO HAGO YO!

¡AH!

¿ES QUE TE HAS METIDO ALGUNA PASTILLA RARA ÚLTIMA-MENTE?

CHICA...

NADA, OLVÍDALO.

¿PARA EL RESFRIADO, DICES?

¿PASTI-LLA?

¿IGUAL TANTO ENCAJE ES EXCESIVO...?

PERO SON BARATAS...

...

A VER CUÁNDO ME LAS PONGO...

AAAH...

*LAVANDERÍA DE AUTOSERVICIO IWAI.

MI HERMANA ME DIJO QUE INTIMIDABA A LOS CLIENTES.

CREO QUE SOLO TENÍA GANAS DE DECÍRSELO A ALGUIEN.

CREO...

SOY TONTA DE REMATE.

¿POR QUÉ HABRÉ DICHO ESO?

...

NO SÉ QUÉ ME PASA ÚLTIMAMENTE...

NO ENTIENDO NADA.

Y MIKA... HMMM, PUES...

AI ES LA DESPISTADA DEL GRUPO.

NUESTRA BENJAMINA.

YUKINO ES LA ÚNICA QUE TIENE UN AÑO MENOS...

SOLO ME PREGUNTABA CÓMO ESTARÍAIS TODAS.

NO, MUJER, NO TE HE LLAMADO POR LO DE MIKA.

¿QUÉ?

ES LA RESPONSABLE, ROLLO DELEGADA DE CLASE.

¡SÍ!

¡QUÉ FUERTE! ¡EN ESE CASO...!

¿EH? ¿EN SERIO ESTÁS EN TOKIO?

¡QUÉ GANAS DE VEROS!

¡QUEDEMOS!

"...SOMOS SUPERBUENAS AMIGAS."

"TODAS NOSOTRAS..."

¿LA UNI?

UN TOSTÓN.

ES LO MÁS ABURRIDO DEL MUNDO.

¿ENTONCES YA NO TE HABLA?

NO ES ESO, NAO...

POBRECITA, YUKINO...

¡QUÉ CAAARA! ¡Y ESO QUE DECÍA QUE ERAIS TAN AMIGAS!

¡AH, YA! ¡ME PARTÍ LA CAJA!

AHORA DICE QUE ES DE KANAGAWA.

IMAGINO QUE QUERRÁ BORRAR SU PASADO POR COMPLETO.

¡SI EN REALIDAD ES DE YAMANASHI!

YO FUI LA PRIMERA EN DISTANCIARSE.

ASÍ QUE...

Y COMO ES "ELEGANTE"...

SERÁ ESO.

...PARECE QUE EL 90% DE SUS FANS SON CHICAS.

PERO MIRA...

CHISATO KURUSU ES UN PERSONAJE DEL ESTILO "BELLEZÓN ELEGANTE".

YAMANASHI ES DEMASIADO PUEBLERINO PARA ESA IMAGEN.

TODOS ESOS QUE DICEN QUE A LAS CHICAS LES GUSTAN LAS MUJERES FAMOSAS...

...O QUE LAS NIÑAS MONAS TIENEN MUCHAS FANS...

LOS ODIO A MUERTE.

EN EL FONDO, ESAS FANS SOLO ESTÁN DISIMULANDO SU ENVIDIA.

ES ALGO ASÍ COMO UN SISTEMA DE AUTODEFENSA PARA TODAS LAS FEAS QUE SE SIENTEN INSEGURAS.

AH, YA ENTIENDO.

...

EN SERIO...

ME TIENEN HARTA...

¡EXACTO!

NO ERAN RIVALES PARA ELLA DESDE UN PRINCIPIO...

¿ALGO ASÍ?

LO QUE VENDE ES EL MARKETING DE LA AGENCIA.

MIKA VIVE EN UN MUNDO DE CARTÓN-PIEDRA.

EL RESTO NO SON MÁS QUE MENTIRAS Y APARIENCIAS.

EN CAMBIO, YO...

COMO ACTRIZ QUE SOY, NO SIENTO QUE HAYA PERDIDO.

...JUEGO CON TODO LO QUE TENGO, SIN ENGAÑOS.

TERMINAMOS DE RODAR JUSTO LA SEMANA PASADA.

SÍ...

¿ACTRIZ?

?

156

...TAMBIÉN CONTABAN COMO UNA FORMA DE AUTOEXPRESIÓN.

PENSÉ QUE LOS VÍDEOS PORNO...

¿NO OS PARECE INCREÍBLE?

AL FIN Y AL CABO, ¡EXPONGO TODO MI SER!

HABLA SIN TAPUJOS, NO TENGO PROBLEMA.

YUKINO, PARECE QUE QUIERES DECIR ALGO.

¿EH?

...

NO TENGO NADA QUE DECIR, PERO...

...

¡DE VERDAD!

¡VENGA!

¡QUE NO, QUE NO!

TE LA METEN DE VERDAD...

...EN ESOS VÍDEOS, ¿NO?

ENTONCES...

¿QUÉ HAY DEL SEXO ANAL?

YA... CLA-RO...

AAAH, ESO NO.

Y TAMBIÉN TE TOCA CHUPÁR-SELA.

¡PUES CLAAARO, MUJER!

159

¿AH, SÍ? PUES VAYA...

AH, ¿Y QUÉ PASA CON...?

CUANDO SE REDACTA EL CONTRATO...

...SE DECIDE LO QUE HARÁS Y LO QUE NO.

HOY HE SALIDO DE COPAS POR SHINJUKU CON UNAS ANTIGUAS AMIGAS.

Pero el alcohol sigue sin gustarme demasiado...
(^_^;)

Me gustaría...

...verte.

...LE ENCANTA CAMBIAR DE POSTURA CADA DOS POR TRES.

Y ENCIMA, AL TÍO...

¡JA, JA, JA!

HASTA QUE NO FINJO QUE ME CORRO, ME EMBISTE COMO UN POSESO.

¡LOS HAY QUE VAN ASÍ, ES VERDAD!

DA MIEDO, EN SERIO.

¿O ALGÚN LIGUE?

¿TIENES NOVIO?

¿EH?

¿Y TÚ QUÉ DICES, YUKINO?

ES GENIAL.

ES CUATRO AÑOS MAYOR QUE YO...

HE CONOCIDO A ALGUIEN HACE PO-CO.

¡NO ME DIGAS QUE TODA-VÍA ERES VIRGEN!

¡AY!

ESCÁPATE Y VEN.

YO TAMBIÉN QUIERO VERTE.

AH.

¿ERES
LA AMIGA DE
SETSUKO?

CUANDO NOS VIENEN A ESCUCHAR CHICAS TAN MONAS...

...NOS VENIMOS ARRIBA.

AH...

YA ESTAMOS...

PÁSATE SI QUIERES.

SIENTO QUE SU MIRADA ME EVALÚA.

POR CIERTO...

¿CÓMO TE LLAMAS?

¡¡YUKINO!!

QUÉ ASCO...

ME ESTÁ REPASANDO DE ARRIBA ABAJO.

TÚ TAMBIÉN, YUKINO.

...NOS LLAMÁBAMOS LA UNA A LA OTRA "IWAI" Y "MIYASHITA", PERO PARECE QUE LO HEMOS OLVIDADO.

HASTA HACE NADA...

SETSUKO, ESTÁS SUDANDO.

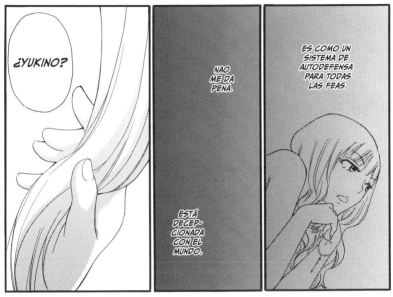

¿YUKINO?

NAO ME DA PENA.

ESTÁ DECEPCIONADA CON EL MUNDO.

ES COMO UN SISTEMA DE AUTODEFENSA PARA TODAS LAS FEAS.

ESTOY SEGURA DE QUE NUNCA SE HA ENCONTRADO...

...CON UNA PERSONA TAN BELLA...

...QUE HUELE TAN BIEN Y QUE ES TAN MARAVILLOSA.

SI TENGO
A SETSUKO
CONMIGO...

...A
NADIE
MÁS.

...NO
NECESITO...

NO
NECESITO
A MIKA...

NI A
OTRAS
AMIGAS...

NI A
NINGÚN
TÍO.

SETSUKO...

¿ALGUNA VEZ LO HAS HECHO CON UN HOMBRE?

CAPÍTULO 5 / FIN

CAPÍTULO 6: LÁGRIMAS

¿ALGUNA VEZ LO HAS HECHO CON UN HOMBRE?

SETSUKO...

¿A QUÉ VIENE DE REPENTE?

¿Y ESO?

...ME LO PREGUNTABA.

NO, NADA...

SOLO...

SÍ QUE LO HE HECHO.

...

VAYA...

...

CLARO, LO SUPONÍA.

AH...

AH...

YUKINO...

BUENO, AHORA QUE LO DICES, LO DE ESE TAL KEI ERA SOSPECHOSO...

SOLO VIENE A ECHARME UNA MANO CON LA GUITARRA...

YA TE LO DIJE...

UAH... HAY QUE VER, QUÉ OBSCENO...

SIEMPRE ENCERRADOS AQUÍ DENTRO LOS DOS.

PERO...

ES NORMAL QUE PASEN COSAS...

..LO RARO ES QUE NO OCURRA NADA.

QUE SI UN HOMBRE Y UNA MUJER ESTÁN SOLOS EN UNA HABITACIÓN...

ES LO QUE SE DICE, ¿NO?

YUKINO...

¿...CON TÍOS?

¿TANTO TE MOLESTA QUE ME HAYA ACOSTA-DO...?

...

NADA MÁS...

NO SÉ, EN ESE CASO ME PREGUNTO POR QUÉ HACES ESTO CONMIGO AHORA.

QUÉ VA...

NO ME MOLESTA...

SOLO QUE...

NO ME...

PERDÓNAME.

NO ME COJAS MANÍA.

LO SIENTO, SETSUKO.

YUUUKIIINO...

¿ESO NO ENTRA EN TU REPERTORIO DE FANTASÍAS PARA MASTURBARTE?

QU...

¿CÓMO QUE "A LA FUERZA"?

DEL PALO "AUNQUE MI CORAZÓN LO NIEGUE, MI CUERPO NO ME OBEDECE".

NO DIGO DE VERDAD, SINO HACIENDO UN POCO DE TEATRO.

¿O TE VAN MÁS LOS PERSONAJES DE FICCIÓN?

...

¿ACASO TE IMAGINAS A TAKUYA KIMURA*?

MASTUR...

N. DE LA T.: CANTANTE Y ACTOR EXINTEGRANTE DEL GRUPO SUPERVENTAS SMAP.

...ERAN HOMBRES, ¿VERDAD?

DE TODAS FORMAS...

IMAGINO QUE TODOS LOS QUE PROTAGONIZABAN TUS FANTASÍAS SEXUALES HASTA AHORA...

NO ESTOY
LLORANDO.

¿POR QUÉ
LLORAS?

...SIEMPRE
HABÍA QUERIDO
PROBAR AMBAS
COSAS.

EN MI
CASO...

...CUANDO
ME ACOSTÉ
POR PRIMERA
VEZ CON UNA
MUJER...

PERO...

...SOLO DECÍA LO QUE PENSABA, TAL CUAL.

SETSUKO...

PERO NO SE TRATABA DE ESO.

NO LLORES...

YUKINO...

ES LA
VERDAD.

TE
LLAMABAS...

...YUKINO,
¿NO?

¿YUKINO...?

BUENAS.

OYE...

¿POR QUÉ MANTIENES TANTA DIS-TANCIA?

¿ESO TE DICE?

PERO LUEGO VA...

...Y ME SUELTA COSAS QUE DAN VER- GÜENZA AJENA, COMO QUE "HAY QUE TOCAR CON EL CO- RAZÓN".

LA LLAMA "SETSUKO"...

...QUE NO ES CUESTIÓN DE PRACTICAR A LO LOCO, COMO EN UN MANGA DE DEPORTES.

SETSUKO ME REGAÑA A MENUDO, Y ME DICE...

...NO PUEDO ESTAR PERDIENDO EL TIEMPO CON LAMENTACIONES.

PERO BUENO, COMO ASPIRO A SER PROFE- SIONAL...

SÍ, POR EJEMPLO, YO...

DIME, SETSUKO...

*...QUISIERA
ACOSTARME
CON ESTE
TÍO...*

*¿NO TE
IMPORTARÍA?*

SETSUKO
ES TERRIBLE.

...

*SI FUERA
YO, NO LO
AGUANTARÍA.*

*NUNCA SE
LO PER-
DONARÍA.*

...ME GUSTA.

ESTÁ CLARO QUE...

...SE ME REVUELVE TODO.

SOLO DE PENSAR QUE ESOS DEDOS TAN BONITOS HAN TOCADO UN PENE...

¿CÓMO PUEDE SER QUE LES APETEZCA ALGO ASÍ?

¿POR QUÉ QUERRÍA NADIE TENER ESO DENTRO?

CONTINUARÁ EN EL SEGUNDO VOLUMEN.

HARU
AKIYAMA

Naoko Kodama

Netsuzô TRap

Planeta Cómic   www.planetacomic.com   f 🅱 PlanetadComic

HARU
AKIYAMA

D1196969

Octave
© 2008 Haru Akiyama
All rights reserved.
First published in Japan in 2008 by Kodansha Ltd., Tokyo.
Publication rights for this Spanish edition arranged through
Kodansha Ltd., Tokyo.

Publicación de Editorial Planeta, S.A.
Diagonal, 662-664, 7° D, 08034, Barcelona.
ISBN n.1: 978-84-9174-010-0.
Copyright © 2019 Editorial Planeta, SA, sobre la presente edición.
Reservados todos los derechos.

Traducción: Judit Moreno (DARUMA Serveis Lingüístics, SL).
Depósito legal: B.13.702-2019 (tomo 1) (XI-19). (10243264).
Printed in EU / Impreso en EU.

Inscríbete a nuestro boletín de novedades en:
www.planetacomic.com

WEB: www.planetacomic.com
BLOG: www.planetadelibros.com/blog/comics
FACEBOOK/TWITTER/INSTAGRAM/YOUTUBE: PlanetadComic